RAINER MARIA RILKE

# Gedichte

AUSWAHL

GW00385221

NACHWORT VON
ERICH PFEIFFER-BELLI

PHILIPP RECLAM JUN. STUTTGART

Die Texte folgen: Rainer Maria Rilke: Sämtliche Werke. Herausgegeben vom Rilke-Archiv. In Verbindung mit Ruth Sieber-Rilke besorgt durch Ernst Zinn. Erster Band. Wiesbaden: Insel-Verlag, 1955. – Zweiter Band. Ebenda 1957. – Dritter Band. Ebenda 1959.

Universal-Bibliothek Nr. 8291
Gesamtherstellung: Reclam, Ditzingen. Printed in Germany 1986
ISBN 3-15-008291-9

## VOLKSWEISE

Mich rührt so sehr
böhmischen Volkes Weise,
schleicht sie ins Herz sich leise,
macht sie es schwer.

Wenn ein Kind sacht
singt beim Kartoffeljäten,
klingt dir sein Lied im späten
Traum noch der Nacht.

Magst du auch sein
weit über Land gefahren,
fällt es dir doch nach Jahren
stets wieder ein.

Ich lebe grad, da das Jahrhundert geht.
Man fühlt den Wind von einem großen Blatt,
das Gott und du und ich beschrieben hat
und das sich hoch in fremden Händen dreht.

Man fühlt den Glanz von einer neuen Seite,
auf der noch Alles werden kann.

Die stillen Kräfte prüfen ihre Breite
und sehn einander dunkel an.

Ich lebe mein Leben in wachsenden Ringen,
die sich über die Dinge ziehn. *s'étendre sur*
Ich werde den letzten vielleicht nicht vollbringen,
aber versuchen will ich ihn.

Ich kreise um Gott, um den uralten Turm,
und ich kreise jahrtausendelang;
und ich weiß noch nicht: bin ich ein Falke, ein Sturm
oder ein großer Gesang.

Du, Nachbar Gott, wenn ich dich manchesmal
in langer Nacht mit hartem Klopfen störe, –
so ists, weil ich dich selten atmen höre
und weiß: Du bist allein im Saal.
Und wenn du etwas brauchst, ist keiner da,
um deinem Tasten einen Trank zu reichen:
Ich horche immer. Gib ein kleines Zeichen.
Ich bin ganz nah.

Nur eine schmale Wand ist zwischen uns,
durch Zufall; denn es könnte sein:
ein Rufen deines oder meines Munds –
und sie bricht ein
ganz ohne Lärm und Laut.

Ich lese es heraus aus deinem Wort,
aus der Geschichte der Gebärden,
mit welchen deine Hände um das Werden
sich ründeten, begrenzend, warm und weise.
Du sagtest *leben* laut und *sterben* leise
und wiederholtest immer wieder: *Sein*.
Doch vor dem ersten Tode kam der Mord.
Da ging ein Riß durch deine reifen Kreise
und ging ein Schrein
und riß die Stimmen fort,
die eben erst sich sammelten
um dich zu sagen,
um dich zu tragen
alles Abgrunds Brücke –

Und was sie seither stammelten,
sind Stücke
deines alten Namens.

Ich glaube an Alles noch nie Gesagte.
Ich will meine frömmsten Gefühle befrein.
Was noch keiner zu wollen wagte,
wird mir einmal unwillkürlich sein.

Ist das vermessen, mein Gott, vergib.
Aber ich will dir damit nur sagen:
Meine beste Kraft soll sein wie ein Trieb,
so ohne Zürnen und ohne Zagen;
so haben dich ja die Kinder lieb.

Mit diesem Hinfluten, mit diesem Münden
in breiten Armen ins offene Meer,
mit dieser wachsenden Wiederkehr
will ich dich bekennen, will ich dich verkünden
wie keiner vorher.

Und ist das Hoffahrt, so laß mich hoffährtig sein
für mein Gebet,
das so ernst und allein
vor deiner wolkigen Stirne steht.

Werkleute sind wir: Knappen, Jünger, Meister,
und bauen dich, du hohes Mittelschiff.
Und manchmal kommt ein ernster Hergereister,
geht wie ein Glanz durch unsre hundert Geister
und zeigt uns zitternd einen neuen Griff.

Wir steigen in die wiegenden Gerüste,
in unsern Händen hängt der Hammer schwer,
bis eine Stunde uns die Stirnen küßte,
die strahlend und als ob sie Alles wüßte
von dir kommt, wie der Wind vom Meer.

Dann ist ein Hallen von dem vielen Hämmern
und durch die Berge geht es Stoß um Stoß.
Erst wenn es dunkelt lassen wir dich los:
Und deine kommenden Konturen dämmern.

Gott, du bist groß.

Alle, die ihre Hände regen
nicht in der Zeit, der armen Stadt,
alle, die sie an Leises legen,
an eine Stelle, fern den Wegen,
die kaum noch einen Namen hat, –
sprechen dich aus, du Alltagssegen,
und sagen sanft auf einem Blatt:

Es gibt im Grunde nur Gebete,
so sind die Hände uns geweiht,
daß sie nichts schufen, was nicht flehte;
ob einer malte oder mähte,
schon aus dem Ringen der Geräte
entfaltete sich Frömmigkeit.

Die Zeit ist eine vielgestalte.
Wir hören manchmal von der Zeit,
und tun das Ewige und Alte;
wir wissen, daß uns Gott umwallte
groß wie ein Bart und wie ein Kleid.
Wir sind wie Adern im Basalte
in Gottes harter Herrlichkeit.

## MENSCHEN BEI NACHT

Die Nächte sind nicht für die Menge gemacht.
Von deinem Nachbar trennt dich die Nacht,
und du sollst ihn nicht suchen trotzdem.
Und machst du nachts deine Stube licht,
um Menschen zu schauen ins Angesicht,
so mußt du bedenken: wem.


Die Menschen sind furchtbar vom Licht entstellt,
das von ihren Gesichtern träuft,
und haben sie nachts sich zusammengesellt,
so schaust du eine wankende Welt
durcheinandergehäuft.
Auf ihren Stirnen hat gelber Schein
alle Gedanken verdrängt,
in ihren Blicken flackert der Wein,
an ihren Händen hängt
die schwere Gebärde, mit der sie sich
bei ihren Gesprächen verstehn;
und dabei sagen sie: *Ich* und *Ich*
und meinen: Irgendwen.

# DER LESENDE

Ich las schon lang. Seit dieser Nachmittag,
mit Regen rauschend, an den Fenstern lag.
Vom Winde draußen hörte ich nichts mehr:
mein Buch war schwer.
Ich sah ihm in die Blätter wie in Mienen,
die dunkel werden von Nachdenklichkeit,
und um mein Lesen staute sich die Zeit. –
Auf einmal sind die Seiten überschienen,
und statt der bangen Wortverworrenheit
steht: Abend, Abend ... überall auf ihnen.
Ich schau noch nicht hinaus, und doch zerreißen
die langen Zeilen, und die Worte rollen
von ihren Fäden fort, wohin sie wollen ...
Da weiß ich es: über den übervollen
glänzenden Gärten sind die Himmel weit;
die Sonne hat noch einmal kommen sollen. –
Und jetzt wird Sommernacht, soweit man sieht:
zu wenig Gruppen stellt sich das Verstreute,
dunkel, auf langen Wegen, gehn die Leute,
und seltsam weit, als ob es mehr bedeute,
hört man das Wenige, das noch geschieht.

Und wenn ich jetzt vom Buch die Augen hebe,
wird nichts befremdlich sein und alles groß.
Dort draußen ist, was ich hier drinnen lebe,
und hier und dort ist alles grenzenlos;
nur daß ich mich noch mehr damit verwebe,
wenn meine Blicke an die Dinge passen
und an die ernste Einfachheit der Massen, –
da wächst die Erde über sich hinaus.
Den ganzen Himmel scheint sie zu umfassen:
der erste Stern ist wie das letzte Haus.

## DER SCHAUENDE

Ich sehe den Bäumen die Stürme an,
die aus laugewordenen Tagen
an meine ängstlichen Fenster schlagen,
und höre die Fernen Dinge sagen,
die ich nicht ohne Freund ertragen,
nicht ohne Schwester lieben kann.

Da geht der Sturm, ein Umgestalter,
geht durch den Wald und durch die Zeit,
und alles ist wie ohne Alter:
die Landschaft, wie ein Vers im Psalter,
ist Ernst und Wucht und Ewigkeit.

Wie ist das klein, womit wir ringen,
was mit uns ringt, wie ist das groß;
ließen wir, ähnlicher den Dingen,
uns *so* vom großen Sturm bezwingen, –
wir würden weit und namenlos.

Was wir besiegen, ist das Kleine,
und der Erfolg selbst macht uns klein.
Das Ewige und Ungemeine
*will* nicht von uns gebogen sein.
Das ist der Engel, der den Ringern
des Alten Testaments erschien:
wenn seiner Widersacher Sehnen
im Kampfe sich metallen dehnen,
fühlt er sie unter seinen Fingern
wie Saiten tiefer Melodien.

Wen dieser Engel überwand,
welcher so oft auf Kampf verzichtet,
*der* geht gerecht und aufgerichtet
und groß aus jener harten Hand,
die sich, wie formend, an ihn schmiegte.

Die Siege laden ihn nicht ein.
Sein Wachstum ist: der Tiefbesiegte
von immer Größerem zu sein.

# HERBSTTAG

Herr: es ist Zeit. Der Sommer war sehr groß.
Leg deinen Schatten auf die Sonnenuhren,
und auf den Fluren laß die Winde los.

Befiehl den letzten Früchten voll zu sein;
gib ihnen noch zwei südlichere Tage,
dränge sie zur Vollendung hin und jage
die letzte Süße in den schweren Wein.

Wer jetzt kein Haus hat, baut sich keines mehr.
Wer jetzt allein ist, wird es lange bleiben,
wird wachen, lesen, lange Briefe schreiben
und wird in den Alleen hin und her
unruhig wandern, wenn die Blätter treiben.

## DER NACHBAR

Fremde Geige, gehst du mir nach?
In wieviel fernen Städten schon sprach
deine einsame Nacht zu meiner?
Spielen dich hunderte? Spielt dich einer?

Gibt es in allen großen Städten
solche, die sich ohne dich
schon in den Flüssen verloren hätten?
Und warum trifft es immer mich?

Warum bin ich immer der Nachbar derer,
die dich bange zwingen zu singen
und zu sagen: Das Leben ist schwerer
als die Schwere von allen Dingen.

# DER PANTHER

*Im Jardin des Plantes, Paris*

Sein Blick ist vom Vorübergehn der Stäbe
so müd geworden, daß er nichts mehr hält.
Ihm ist, als ob es tausend Stäbe gäbe
und hinter tausend Stäben keine Welt.

Der weiche Gang geschmeidig starker Schritte,
der sich im allerkleinsten Kreise dreht,
ist wie ein Tanz von Kraft um eine Mitte,
in der betäubt ein großer Wille steht.

Nur manchmal schiebt der Vorhang der Pupille
sich lautlos auf –. Dann geht ein Bild hinein,
geht durch der Glieder angespannte Stille –
und hört im Herzen auf zu sein.

# EINLADUNG

Sieh, wir wollen heute beim Altane
uns begegnen, wenn der Abend naht,
und ich will dir eine Siziliane
langsam lesen, Worte von Brokat.

Und wenn sie vergangen ist wie Fernes,
sollst du wieder nur ein leises Regen
durch den Wendekreis des ersten Sternes
gehen hören – Nächtigem entgegen.

Nur Geräusche, die dich nicht erschrecken,
und die Wasser sollen wieder sein,
und die Fransen schwarzer Efeudecken
niederhängen vom Geländerstein.

## ORPHEUS. EURYDIKE. HERMES

Das war der Seelen wunderliches Bergwerk.
Wie stille Silbererze gingen sie
als Adern durch sein Dunkel. Zwischen Wurzeln
entsprang das Blut, das fortgeht zu den Menschen,
und schwer wie Porphyr sah es aus im Dunkel.
Sonst war nichts Rotes.

Felsen waren da
und wesenlose Wälder. Brücken über Leeres
und jener große graue blinde Teich,
der über seinem fernen Grunde hing
wie Regenhimmel über einer Landschaft.
Und zwischen Wiesen, sanft und voller Langmut,
erschien des einen Weges blasser Streifen,
wie eine lange Bleiche hingelegt.

Und dieses einen Weges kamen sie.

Voran der schlanke Mann im blauen Mantel,
der stumm und ungeduldig vor sich aussah.
Ohne zu kauen fraß sein Schritt den Weg
in großen Bissen; seine Hände hingen
schwer und verschlossen aus dem Fall der Falten
und wußten nicht mehr von der leichten Leier,
die in die Linke eingewachsen war
wie Rosenranken in den Ast des Ölbaums.
Und seine Sinne waren wie entzweit:
indes der Blick ihm wie ein Hund vorauslief,
umkehrte, kam und immer wieder weit
und wartend an der nächsten Wendung stand, —
blieb sein Gehör wie ein Geruch zurück.
Manchmal erschien es ihm als reichte es
bis an das Gehen jener beiden andern,
die folgen sollten diesen ganzen Aufstieg.

Dann wieder wars nur seines Steigens Nachklang
und seines Mantels Wind was hinter ihm war.
Er aber sagte sich, sie kämen doch;
sagte es laut und hörte sich verhallen.
Sie kämen doch, nur wärens zwei
die furchtbar leise gingen. Dürfte er
sich einmal wenden (wäre das Zurückschaun
nicht die Zersetzung dieses ganzen Werkes,
das erst vollbracht wird), müßte er sie sehen,
die beiden Leisen, die ihm schweigend nachgehn:

Den Gott des Ganges und der weiten Botschaft,
die Reisehaube über hellen Augen,
den schlanken Stab hertragend vor dem Leibe
und flügelschlagend an den Fußgelenken;
und seiner linken Hand gegeben: sie.

Die So-geliebte, daß aus einer Leier
mehr Klage kam als je aus Klagefrauen;
daß eine Welt aus Klage ward, in der
alles noch einmal da war: Wald und Tal
und Weg und Ortschaft, Feld und Fluß und Tier;
und daß um diese Klage-Welt, ganz so
wie um die andre Erde, eine Sonne
und ein gestirnter stiller Himmel ging,
ein Klage-Himmel mit entstellten Sternen –:
Diese So-geliebte.

Sie aber ging an jenes Gottes Hand,
den Schritt beschränkt von langen Leichenbändern,
unsicher, sanft und ohne Ungeduld.
Sie war in sich, wie Eine hoher Hoffnung,
und dachte nicht des Mannes, der voranging,
und nicht des Weges, der ins Leben aufstieg.
Sie war in sich. Und ihr Gestorbensein
erfüllte sie wie Fülle.
Wie eine Frucht von Süßigkeit und Dunkel,

so war sie voll von ihrem großen Tode,
der also neu war, daß sie nichts begriff.

Sie war in einem neuen Mädchentum
und unberührbar; ihr Geschlecht war zu
wie eine junge Blume gegen Abend,
und ihre Hände waren der Vermählung
so sehr entwöhnt, daß selbst des leichten Gottes
unendlich leise, leitende Berührung
sie kränkte wie zu sehr Vertraulichkeit.

Sie war schon nicht mehr diese blonde Frau,
die in des Dichters Liedern manchmal anklang,
nicht mehr des breiten Bettes Duft und Eiland
und jenes Mannes Eigentum nicht mehr.

Sie war schon aufgelöst wie langes Haar
und hingegeben wie gefallner Regen
und ausgeteilt wie hundertfacher Vorrat.

Sie war schon Wurzel.

Und als plötzlich jäh
der Gott sie anhielt und mit Schmerz im Ausruf
die Worte sprach: Er hat sich umgewendet –,
begriff sie nichts und sagte leise: *Wer?*

Fern aber, dunkel vor dem klaren Ausgang,
stand irgend jemand, dessen Angesicht
nicht zu erkennen war. Er stand und sah,
wie auf dem Streifen eines Wiesenpfades
mit trauervollem Blick der Gott der Botschaft
sich schweigend wandte, der Gestalt zu folgen,
die schon zurückging dieses selben Weges,
den Schritt beschränkt von langen Leichenbändern,
unsicher, sanft und ohne Ungeduld.

# TANAGRA

Ein wenig gebrannter Erde,
wie von großer Sonne gebrannt.
Als wäre die Gebärde
einer Mädchenhand
auf einmal nicht mehr vergangen;
ohne nach etwas zu langen,
zu keinem Dinge hin
aus ihrem Gefühle führend,
nur an sich selber rührend
wie eine Hand ans Kinn.

Wir heben und wir drehen
eine und eine Figur;
wir können fast verstehen
weshalb sie nicht vergehen, –
aber wir sollen nur
tiefer und wunderbarer
hängen an dem was war
und lächeln: ein wenig klarer
vielleicht als vor einem Jahr.

## ABSCHIED

Wie hab ich das gefühlt was Abschied heißt.
Wie weiß ichs noch: ein dunkles unverwundnes
grausames Etwas, das ein Schönverbundnes
noch einmal zeigt und hinhält und zerreißt.

Wie war ich ohne Wehr, dem zuzuschauen,
das, da es mich, mich rufend, gehen ließ,
zurückblieb, so als wärens alle Frauen
und dennoch klein und weiß und nichts als dies:

Ein Winken, schon nicht mehr auf mich bezogen,
ein leise Weiterwinkendes –, schon kaum
erklärbar mehr: vielleicht ein Pflaumenbaum,
von dem ein Kuckuck hastig abgeflogen.

# DAS KARUSSELL

*Jardin du Luxembourg*

Mit einem Dach und seinem Schatten dreht
sich eine kleine Weile der Bestand
von bunten Pferden, alle aus dem Land,
das lange zögert, eh es untergeht.
Zwar manche sind an Wagen angespannt,
doch alle haben Mut in ihren Mienen;
ein böser roter Löwe geht mit ihnen
und dann und wann ein weißer Elefant.

Sogar ein Hirsch ist da, ganz wie im Wald,
nur daß er einen Sattel trägt und drüber
ein kleines blaues Mädchen aufgeschnallt.

Und auf dem Löwen reitet weiß ein Junge
und hält sich mit der kleinen heißen Hand,
dieweil der Löwe Zähne zeigt und Zunge.

Und dann und wann ein weißer Elefant.

Und auf den Pferden kommen sie vorüber,
auch Mädchen, helle, diesem Pferdesprunge
fast schon entwachsen; mitten in dem Schwunge
schauen sie auf, irgendwohin, herüber –

Und dann und wann ein weißer Elefant.

Und das geht hin und eilt sich, daß es endet,
und kreist und dreht sich nur und hat kein Ziel.
Ein Rot, ein Grün, ein Grau vorbeigesendet,
und kleines kaum begonnenes Profil –.
Und manchesmal ein Lächeln, hergewendet,
ein seliges, das blendet und verschwendet
an dieses atemlose blinde Spiel ...

Täglich stehst du mir steil vor dem Herzen
Gebirge, Gestein
(ewig anwachsender Gott)
Wildnis, Unweg, Gott, in dem ich allein
steige und falle und irre blindlings in mein
gestern Gegangenes wieder hinein
kreisend.
Weisend greift mich manchmal am Kreuzweg der Wind
wirft mich hinein in den Pfad der beginnt
oder es trinkt mich ein Weg im Stillen;
aber dein unbewältigter Willen
zieht die Pfade zusamm wie Alaun
bis sie als alte haltlose Rillen
sich verlieren ins Abgrundsgraun.
Laß mich, laß mich, die Augen geschlossen
wie mit verschluckten Augen laß
mich, den Rücken an den Colossen,
warten an deinem Rande daß
dieser Schwindel mit dem ich verrinne
meine hingerissenen Sinne
wieder an ihre Stelle legt.
Regt sich denn alles in mir? Ist kein Festes
das bestünde auf seines Gewichts
Anrecht. Mein Bangestes und mein Bestes
und der Wirbel nimmt es wie nichts
mit in die Tiefen.

Gesicht, mein Gesicht:
wessen bist du; für was für Dinge
bist du Gesicht?
Wie kannst du Gesicht sein für so ein Innen
darin sich immerfort das Beginnen
mit dem Zerfließen zu etwas ballt?
Hat der Wald ein Gesicht?
Steht der Berge Basalt
gesichtslos nicht da?
Hebt sich das Meer

nicht ohne Gesicht
aus dem Meergrund her?
Spiegelt sich nicht der Himmel drin
ohne Stirn ohne Mund ohne Kinn?

Kommen einem die Tiere nicht
manchmal als bäten sie: nimm mein Gesicht.
Ihr Gesicht ist ihnen zu schwer
und sie halten mit ihm ihr klein
wenig Seele zu weit hinein
in das Leben. Und wir
Tiere der Seele, verstört
von allem in uns, noch nicht
fertig zu nichts; wir weidenden
Seelen
flehen wir zu dem Bescheidenden
nächtens nicht um das Nicht-Gesicht,
das zu unserem Dunkel gehört?

Mein Dunkel, mein Dunkel, da steh ich mit dir
und alles geht draußen vorbei;
und ich wollte mir wüchse wie einem Tier
eine Stimme, ein einziger Schrei
für alles –; denn was soll mir die Zahl
der Worte, die kommen und fliehn
wenn ein Vogellaut vieltausendmal
geschrien und wieder geschrien
ein winziges Herz so groß macht und eins
mit dem Herzen des Erlenhains
und so hell und so hörbar für Ihn,
der vor uns allen sooft es tagt
aufsteigt wie lauter Gestein.
Und türm ich mein Herz auf mein Hirn und mein
Sehnen darauf und mein Einsamsein:
wie wird das klein
weil er es überragt.

*Capri, Ende Dezember 1906*

## AN KARL VON DER HEYDT

*Meinem und meiner Arbeit liebem Freunde*
*dankbar zugeschrieben,*
*da ich seine Worte vom ›Stunden-Buch‹ gelesen hatte*

So will ich gehen, schauender und schlichter,
einfältig in der Vielfalt dieses Scheins;
aus allen Dingen heben Angesichter
sich zu mir auf und bitten mich um eins:

um dieses unbeirrte Gehn und Sagen
und darum: nicht zu ruhn, ich fühlte denn
mein Herz in einem Turme gehn und schlagen:
so nah den Nächten, so vertraut den Tagen,
so einsam weit von jedem, den ich kenn;

und doch so wie die Stunde, welche schlägt,
an Tausendem, das lautlos sich verwandelt,
teilnehmend – und mit Tausendem, das trägt,
mittragend – und mit Einem, welcher handelt,
mithandelnd, leise von ihm miterwägt . . .

Unsäglich Schweres wird von mir verlangt.
Aber die Mächte, die mich so verpflichten,
sind auch bereit, mich langsam aufzurichten,
so oft mein Herz, behängt mit den Gewichten
der Demut, hoch in ihren Händen hangt.

# DIE SPITZE

## I

Menschlichkeit: Namen schwankender Besitze,
noch unbestätigter Bestand von Glück:
ist das unmenschlich, daß zu dieser Spitze,
zu diesem kleinen dichten Spitzenstück
zwei Augen wurden? – Willst du sie zurück?

Du Langvergangene und schließlich Blinde,
ist deine Seligkeit in diesem Ding,
zu welcher hin, wie zwischen Stamm und Rinde,
dein großes Fühlen, kleinverwandelt, ging?

Durch einen Riß im Schicksal, eine Lücke
entzogst du deine Seele deiner Zeit;
und sie ist so in diesem lichten Stücke,
daß es mich lächeln macht vor Nützlichkeit.

## II

Und wenn uns eines Tages dieses Tun
und was an uns geschieht gering erschiene
und uns so fremd, als ob es nicht verdiene,
daß wir so mühsam aus den Kinderschuhn
um seinetwillen wachsen –: Ob die Bahn
vergilbter Spitze, diese dichtgefügte
blumige Spitzenbahn, dann nicht genügte,
uns hier zu halten? Sieh: sie ward *getan*.

Ein Leben ward vielleicht verschmäht, wer weiß?
Ein Glück war da und wurde hingegeben,
und endlich wurde doch, um jeden Preis,
dies Ding daraus, nicht leichter als das Leben
und doch vollendet und so schön als sei's
nicht mehr zu früh, zu lächeln und zu schweben.

## LIEBES-LIED

Wie soll ich meine Seele halten, daß
sie nicht an deine rührt? Wie soll ich sie
hinheben über dich zu andern Dingen?
Ach gerne möcht ich sie bei irgendwas
Verlorenem im Dunkel unterbringen
an einer fremden stillen Stelle, die
nicht weiterschwingt, wenn deine Tiefen schwingen.
Doch alles, was uns anrührt, dich und mich,
nimmt uns zusammen wie ein Bogenstrich,
der aus zwei Saiten *eine* Stimme zieht.
Auf welches Instrument sind wir gespannt?
Und welcher Geiger hat uns in der Hand?
O süßes Lied.

Da plötzlich war der Bote unter ihnen,
hineingeworfen in das Überkochen
des Hochzeitsmahles wie ein neuer Zusatz.
Sie fühlten nicht, die Trinkenden, des Gottes
heimlichen Eintritt, welcher seine Gottheit
so an sich hielt wie einen nassen Mantel
und ihrer einer schien, der oder jener,
wie er so durchging. Aber plötzlich sah
mitten im Sprechen einer von den Gästen
den jungen Hausherrn oben an dem Tische
wie in die Höh gerissen, nicht mehr liegend,
und überall und mit dem ganzen Wesen
ein Fremdes spiegelnd, das ihn furchtbar ansprach.
Und gleich darauf, als klärte sich die Mischung,
war Stille; nur mit einem Satz am Boden
von trübem Lärm und einem Niederschlag
fallenden Lallens, schon verdorben riechend
nach dumpfem umgestandenen Gelächter.
Und da erkannten sie den schlanken Gott,
und wie er dastand, innerlich voll Sendung
und unerbittlich, – wußten sie es beinah.
Und doch, als es gesagt war, war es mehr
als alles Wissen, gar nicht zu begreifen.
Admet muß sterben. Wann? In dieser Stunde.

Der aber brach die Schale seines Schreckens
in Stücken ab und streckte seine Hände
heraus aus ihr, um mit dem Gott zu handeln.
Um Jahre, um ein einzig Jahr noch Jugend,
um Monate, um Wochen, um paar Tage,
ach, Tage nicht, um Nächte, nur um Eine,
um Eine Nacht, um diese nur: um die.
Der Gott verneinte, und da schrie er auf
und schrie's hinaus und hielt es nicht und schrie
wie seine Mutter aufschrie beim Gebären.

Und die trat zu ihm, eine alte Frau,
und auch der Vater kam, der alte Vater,
und beide standen, alt, veraltet, ratlos,
beim Schreienden, der plötzlich, wie noch nie
so nah, sie ansah, abbrach, schluckte, sagte:
Vater,
liegt dir denn viel daran an diesem Rest,
an diesem Satz, der dich beim Schlingen hindert?
Geh, gieß ihn weg. Und du, du alte Frau,
Matrone,
was tust du denn noch hier: du hast geboren.
Und beide hielt er sie wie Opfertiere
in Einem Griff. Auf einmal ließ er los
und stieß die Alten fort, voll Einfall, strahlend
und atemholend, rufend: Kreon, Kreon!
Und nichts als das; und nichts als diesen Namen.
Aber in seinem Antlitz stand das Andere,
das er nicht sagte, namenlos erwartend,
wie ers dem jungen Freunde, dem Geliebten,
erglühend hinhielt übern wirren Tisch.
Die Alten (stand da), siehst du, sind kein Loskauf,
sie sind verbraucht und schlecht und beinah wertlos,
du aber, du, in deiner ganzen Schönheit –

Da aber sah er seinen Freund nicht mehr.
Er blieb zurück, und das, was kam, war *sie*,
ein wenig kleiner fast als er sie kannte
und leicht und traurig in dem bleichen Brautkleid.
Die andern alle sind nur ihre Gasse,
durch die sie kommt und kommt –: (gleich wird sie da
                                    sein
in seinen Armen, die sich schmerzhaft auftun).
Doch wie er wartet, spricht sie; nicht zu ihm.
Sie spricht zum Gotte, und der Gott vernimmt sie,
und alle hörens gleichsam erst im Gotte:

Ersatz kann keiner für ihn sein. Ich *bins*.
Ich bin Ersatz. Denn keiner ist zu Ende

wie ich es bin. Was bleibt mir denn von dem
was ich hier war? Das *ists* ja, daß ich sterbe.
Hat sie dirs nicht gesagt, da sie dirs auftrug,
daß jenes Lager, das da drinnen wartet,
zur Unterwelt gehört? Ich nahm ja Abschied.
Abschied über Abschied.
Kein Sterbender nimmt mehr davon. Ich ging ja,
damit das Alles, unter Dem begraben
der jetzt mein Gatte ist, zergeht, sich auflöst –.
So führ mich hin: ich sterbe ja für ihn.

Und wie der Wind auf hoher See, der umspringt,
so trat der Gott fast wie zu einer Toten
und war auf einmal weit von ihrem Gatten,
dem er, versteckt in einem kleinen Zeichen,
die hundert Leben dieser Erde zuwarf.
Der stürzte taumelnd zu den beiden hin
und griff nach ihnen wie im Traum. Sie gingen
schon auf den Eingang zu, in dem die Frauen
verweint sich drängten. Aber einmal sah
er noch des Mädchens Antlitz, das sich wandte
mit einem Lächeln, hell wie eine Hoffnung,
die beinah ein Versprechen war: erwachsen
zurückzukommen aus dem tiefen Tode
zu ihm, dem Lebenden –

Da schlug er jäh
die Hände vors Gesicht, wie er so kniete,
um nichts zu sehen mehr nach diesem Lächeln.

# LIED VOM MEER

*Capri. Piccola Marina*

Uraltes Wehn vom Meer,
Meerwind bei Nacht:
  du kommst zu keinem her;
wenn einer wacht,
so muß er sehn, wie er
dich übersteht:
  uraltes Wehn vom Meer,
welches weht
nur wie für Ur-Gestein,
lauter Raum
reißend von weit herein ...
  O wie fühlt dich ein
treibender Feigenbaum
oben im Mondschein.

# DIE FLAMINGOS

*Jardin des Plantes, Paris*

In Spiegelbildern wie von Fragonard
ist doch von ihrem Weiß und ihrer Röte
nicht mehr gegeben, als dir einer böte,
wenn er von seiner Freundin sagt: sie war

noch sanft von Schlaf. Denn steigen sie ins Grüne
und stehn, auf rosa Stielen leicht gedreht,
beisammen, blühend, wie in einem Beet,
verführen sie verführender als Phryne

sich selber; bis sie ihres Auges Bleiche
hinhalsend bergen in der eignen Weiche,
in welcher Schwarz und Fruchtrot sich versteckt.

Auf einmal kreischt ein Neid durch die Volière;
sie aber haben sich erstaunt gestreckt
und schreiten einzeln ins Imaginäre.

## ARCHAISCHER TORSO APOLLOS

Wir kannten nicht sein unerhörtes Haupt,
darin die Augenäpfel reiften. Aber
sein Torso glüht noch wie ein Kandelaber,
in dem sein Schauen, nur zurückgeschraubt,

sich hält und glänzt. Sonst könnte nicht der Bug
der Brust dich blenden, und im leisen Drehen
der Lenden könnte nicht ein Lächeln gehen
zu jener Mitte, die die Zeugung trug.

Sonst stünde dieser Stein entstellt und kurz
unter der Schultern durchsichtigem Sturz
und flimmerte nicht so wie Raubtierfelle;

und bräche nicht aus allen seinen Rändern
aus wie ein Stern: denn da ist keine Stelle,
die dich nicht sieht. Du mußt dein Leben ändern.

## STÄDTISCHE SOMMERNACHT

Unten macht sich aller Abend grauer,
und das ist schon Nacht, was da als lauer
Lappen sich um die Laternen hängt.
Aber höher, plötzlich ungenauer,
wird die leere leichte Feuermauer
eines Hinterhauses in die Schauer
einer Nacht hinaufgedrängt,
welche Vollmond hat und nichts als Mond.

Und dann gleitet oben eine Weite
weiter, welche heil ist und geschont,
und die Fenster an der ganzen Seite
werden weiß und unbewohnt.

## ⟨AN LOU ANDREAS-SALOMÉ⟩

### I

Ich hielt mich überoffen, ich vergaß,
daß draußen nicht nur Dinge sind und voll
in sich gewohnte Tiere, deren Aug
aus ihres Lebens Rundung anders nicht
hinausreicht als ein eingerahmtes Bild;
daß ich in mich mit allem immerfort
Blicke hineinriß: Blicke, Meinung, Neugier.
  Wer weiß, es bilden Augen sich im Raum
und wohnen bei. Ach nur zu dir gestürzt,
ist mein Gesicht nicht ausgestellt, verwächst
in dich und setzt sich dunkel
unendlich fort in dein geschütztes Herz.

### II

Wie man ein Tuch vor angehäuften Atem,
nein: wie man es an eine Wunde preßt,
aus der das Leben ganz, in einem Zug,
hinauswill, hielt ich dich an mich: ich sah,
du wurdest rot von mir. Wer spricht es aus,
Was uns geschah? Wir holten jedes nach,
wozu die Zeit nie war. Ich reifte seltsam
in jedem Antrieb übersprungner Jugend,
und du, Geliebte, hattest irgendeine
wildeste Kindheit über meinem Herzen.

### III

Entsinnen ist da nicht genug, es muß
von jenen Augenblicken pures Dasein
auf meinem Grunde sein, ein Niederschlag
der unermeßlich überfüllten Lösung.
Denn ich *gedenke* nicht, das, was ich *bin*

rührt mich um deinetwillen. Ich erfinde
dich nicht an traurig ausgekühlten Stellen,
von wo du wegkamst; selbst, daß du nicht da bist,
ist warm von dir und wirklicher und mehr
als ein Entbehren. Sehnsucht geht zu oft
ins Ungenaue. Warum soll ich mich
auswerfen, während mir vielleicht dein Einfluß
leicht ist, wie Mondschein einem Platz am Fenster.

# VERKÜNDIGUNG ÜBER DEN HIRTEN

Seht auf, ihr Männer, Männer dort am Feuer,
die ihr den grenzenlosen Himmel kennt,
Sterndeuter, hierher! Seht, ich bin ein neuer
steigender Stern. Mein ganzes Wesen brennt
und strahlt so stark und ist so ungeheuer
voll Licht, daß mir das tiefe Firmament
nicht mehr genügt. Laßt meinen Glanz hinein
in euer Dasein: Oh, die dunklen Blicke,
die dunklen Herzen, nächtige Geschicke
die euch erfüllen. Hirten, wie allein
bin ich in euch. Auf einmal wird mir Raum.
Stauntet ihr nicht: der große Brotfruchtbaum
warf einen Schatten. Ja, das kam von mir.
Ihr Unerschrockenen, o wüßtet ihr,
wie jetzt auf eurem schauenden Gesichte
die Zukunft scheint. In diesem starken Lichte
wird viel geschehen. Euch vertrau ichs, denn
ihr seid verschwiegen; euch Gradgläubigen
redet hier alles. Glut und Regen spricht,
der Vögel Zug, der Wind und was ihr seid,
keins überwiegt und wächst zur Eitelkeit
sich mästend an. Ihr haltet nicht
die Dinge auf im Zwischenraum der Brust
um sie zu quälen. So wie seine Lust
durch einen Engel strömt, so treibt durch euch
das Irdische. Und wenn ein Dorngesträuch
aufflammte plötzlich, dürfte noch aus ihm
der Ewige euch rufen, Cherubim,
wenn sie geruhten neben eurer Herde
einherzuschreiten, wunderten euch nicht:
ihr stürztet euch auf euer Angesicht,
betetet an und nenntet dies die Erde.

Doch dieses war. Nun soll ein Neues sein,
von dem der Erdkreis ringender sich weitet.

Was ist ein Dörnicht uns: Gott fühlt sich ein
in einer Jungfrau Schoß. Ich bin der Schein
von ihrer Innigkeit, der euch geleitet.

⟨FRAGMENT EINER ELEGIE⟩

Soll ich die Städte rühmen, die überlebenden
(die ich anstaunte) großen Sternbilder der Erde.
Denn nur zum Rühmen noch steht mir das Herz, so
                                        gewaltig
weiß ich die Welt. Und selbst meine Klage
wird mir zur Preisung dicht vor dem stöhnenden
                                        Herzen.
Sage mir keiner, daß ich die Gegenwart nicht
liebe; ich schwinge in ihr; sie trägt mich, sie gibt mir
diesen geräumigen Tag, den uralten Werktag
daß ich ihn brauche, und wirft in gewährender
                                        Großmut
über mein Dasein niegewesene Nächte.
Ihre Hand ist stark über mir und wenn sie im
                                        Schicksal
unten mich hielte, vertaucht, ich müßte versuchen
unten zu atmen. Auch bei dem leisesten Auftrag
säng ich sie gerne. Doch vermut ich, sie will nur,
daß ich vibriere wie sie. Einst tönte der Dichter
über die Feldschlacht hinaus; was will eine Stimme
neben dem neuen Gedröhn der metallenen Handlung
drin diese Zeit sich verringt mit anstürmender
                                        Zukunft.
Auch bedarf sie des Anrufes kaum, ihr eigener
                                        Schlachtlärm
übertönt sich zum Lied. So laßt mich solange
vor Vergehendem stehn; anklagend nicht, aber
noch einmal bewundernd. Und wo mich eines
das mir vor Augen versinkt, etwa zur Klage bewegt
sei es kein Vorwurf für euch. Was sollen jüngere
                                        Völker
nicht fortstürmen von dem was der morschen oft
ruhmloser Abbruch begrub. Sehet, es wäre
arg um das Große bestellt, wenn es irgend der
                                        Schonung

bedürfte. Wem die Paläste oder der Gärten
Kühnheit nicht mehr, wem Aufstieg und Rückfall
alter Fontänen nicht mehr, wem das Verhaltene
in den Bildern oder der Statuen ewiges Dastehn
nicht mehr die Seele erschreckt und verwandelt, der
                                                                    gehe
diesem hinaus und tue sein Tagwerk; wo anders
lauert das Große auf ihn und wird ihn wo anders
anfalln, daß er sich wehrt.

*Duino, Ende Januar 1912*
⟨*Geschrieben zwischen der Ersten und der Zweiten Elegie*⟩

⟨*Fragmentarisch*⟩

Daß ich dereinst, an dem Ausgang der grimmigen
                        Einsicht
Jubel und Ruhm aufsinge zustimmenden Engeln.
Daß von den klar geschlagenen Hämmern des Herzens
keiner versage an weichen, zweifelnden oder
jähzornigen Saiten. Daß mich mein strömendes Antlitz
glänzender mache; daß das unscheinbare Weinen
blühe. O wie werdet ihr dann, Nächte, mir lieb sein,
gehärmte. Daß ich euch knieender nicht, untröstliche
                        Schwestern,
hinnahm, nicht in euer gelöstes
Haar mich gelöster ergab. Wir Vergeuder der
                        Schmerzen.
Wie wir sie absehn voraus in die traurige Dauer,
ob sie nicht enden vielleicht. Sie aber sind ja
Zeiten von uns, unser winter-
währiges Laubwerk, Wiesen, Teiche, angeborene
                        Landschaft,
von Geschöpfen im Schilf und von Vögeln bewohnt.

Oben, der hohen, steht nicht die Hälfte der Himmel
über der Wehmut in uns, der bemühten Natur?
Denk, du berätest nicht mehr dein verwildertes
                        Leidtum,
sähest die Sterne nicht mehr durch das herbere Blättern
schwärzlichen Schmerzlaubs, und die Trümmer von
                        Schicksal
böte dir höher nicht mehr der vergrößernde
                        Mondschein,
daß du an ihnen dich fühlst wie ein einstiges Volk?
Lächeln auch wäre nicht mehr, das zehrende derer,
die du hinüberverlorest –, so wenig gewaltsam,

eben an dir nur vorbei, traten sie rein in dein Leid.
(Fast wie das Mädchen, das grade dem Freier sich
                                        zusprach,
der sie seit Wochen bedrängt, und sie bringt ihn
                                        erschrocken
an das Gitter des Gartens, den Mann, der frohlockt und
                                        ungern
fortgeht: da stört sie ein Schritt in dem neueren
                                        Abschied,
und sie wartet und steht und da trifft ihr vollzähliges
                                        Aufschaun
ganz in das Aufschaun des Fremden, das Aufschaun der
                                        Jungfrau,
die ihn unendlich begreift, den draußen, der ihr
                                        bestimmt war,
draußen den wandernden Andern, der ihr ewig bestimmt
                                        war.
Hallend geht er vorbei.) So immer verlorst du;
als ein Besitzender nicht: wie sterbend einer,
vorgebeugt in die feucht herwehende Märznacht,
ach, den Frühling verliert in die Kehlen der Vögel.

Viel zu weit gehörst du ins Leiden. Vergäßest
du die geringste der maßlos erschmerzten Gestalten,
riefst du, schrieest, hoffend auf frühere Neugier,
einen der Engel herbei, der mühsam verdunkelten
                                        Ausdrucks
leidunmächtig, immer wieder versuchend,
dir dein Schluchzen damals, um jene, beschriebe.
Engel wie wars? Und er ahmte dir nach und verstünde
nicht daß es Schmerz sei, wie man dem rufenden Vogel
nachformt, die ihn erfüllt, die schuldlose Stimme.

So angestrengt wider die starke Nacht
werfen sie ihre Stimmen ins Gelächter,
das schlecht verbrennt. O aufgelehnte Welt
voll Weigerung. Und atmet doch den Raum,
in dem die Sterne gehen. Siehe, dies
bedürfte nicht und könnte, der Entfernung
fremd hingegeben, in dem Übermaß
von Fernen sich ergehen, fort von uns.
Und nun geruhts und reicht uns ans Gesicht
wie der Geliebten Aufblick; schlägt sich auf
uns gegenüber und zerstreut vielleicht
an uns sein Dasein. Und wir sinds nicht wert.
Vielleicht entziehts den Engeln etwas Kraft,
daß nach uns her der Sternenhimmel nachgibt
und uns hereinhängt ins getrübte Schicksal.
Umsonst. Denn wer gewahrts? Und wo es einer
gewärtig wird: wer darf noch an den Nacht-Raum
die Stirne lehnen wie ans eigne Fenster?
Wer hat dies nicht verleugnet? Wer hat nicht
in dieses eingeborne Element
gefälschte, schlechte, nachgemachte Nächte
hereingeschleppt und sich daran begnügt?
Wir lassen Götter stehn um gohren Abfall,
denn Götter locken nicht. Sie haben Dasein
und nichts als Dasein, Überfluß von Dasein,
doch nicht Geruch, nicht Wink. Nichts ist so stumm
wie eines Gottes Mund. Schön wie ein Schwan
auf seiner Ewigkeit grundlosen Fläche:
so zieht der Gott und taucht und schont sein Weiß.

Alles verführt. Der kleine Vogel selbst
tut Zwang an uns aus seinem reinen Laubwerk,
die Blume hat nicht Raum und drängt herüber;
was will der Wind nicht alles? Nur der Gott,
wie eine Säule, läßt vorbei, verteilend
hoch oben, wo er trägt, nach beiden Seiten
die leichte Wölbung seines Gleichmuts.

Überfließende Himmel verschwendeter Sterne
prachten über der Kümmernis. Statt in die Kissen,
weine hinauf. Hier, an dem weinenden schon,
an dem endenden Antlitz,
um sich greifend, beginnt der hin-
reißende Weltraum. Wer unterbricht,
wenn du dort hin drängst,
die Strömung? Keiner. Es sei denn,
daß du plötzlich ringst mit der gewaltigen Richtung
jener Gestirne nach dir. Atme.
Atme das Dunkel der Erde und wieder
aufschau! Wieder. Leicht und gesichtlos
lehnt sich von oben Tiefe dir an. Das gelöste
nachtenthaltne Gesicht gibt dem deinigen Raum.

*Aus den Gedichten an die Nacht*

# WINTERLICHE STANZEN

Nun sollen wir versagte Tage lange
ertragen in des Widerstandes Rinde;
uns immer wehrend, nimmer an der Wange
das Tiefe fühlend aufgetaner Winde.
Die Nacht ist stark, doch von so fernem Gange,
die schwache Lampe überredet linde.
Laß dichs getrösten: Frost und Harsch bereiten
die Spannung künftiger Empfänglichkeiten.

Hast du denn ganz die Rosen ausempfunden
vergangnen Sommers? Fühle, überlege:
das Ausgeruhte reiner Morgenstunden,
den leichten Gang in spinnverwebte Wege?
Stürz in dich nieder, rüttele, errege
die liebe Lust: sie ist in dich verschwunden.
Und wenn du eins gewahrst, das dir entgangen,
sei froh, es ganz von vorne anzufangen.

Vielleicht ein Glanz von Tauben, welche kreisten,
ein Vogelanklang, halb wie ein Verdacht,
ein Blumenblick (man übersieht die meisten),
ein duftendes Vermuten vor der Nacht.
Natur ist göttlich voll; wer kann sie leisten,
wenn ihn ein Gott nicht so natürlich macht.
Denn wer sie innen, wie sie drängt, empfände,
verhielte sich, erfüllt, in seine Hände.

Verhielte sich wie Übermaß und Menge
und hoffte nicht noch Neues zu empfangen,
verhielte sich wie Übermaß und Menge
und meinte nicht, es sei ihm was entgangen,
verhielte sich wie Übermaß und Menge
mit maßlos übertroffenem Verlangen
und staunte nur noch, daß er dies ertrüge:
die schwankende, gewaltige Genüge.

Es winkt zu Fühlung fast aus allen Dingen,
aus jeder Wendung weht es her: Gedenk!
Ein Tag, an dem wir fremd vorübergingen,
entschließt im künftigen sich zum Geschenk.

Wer rechnet unseren Ertrag? Wer trennt
uns von den alten, den vergangnen Jahren?
Was haben wir seit Anbeginn erfahren,
als daß sich eins im anderen erkennt?

Als daß an uns Gleichgültiges erwarmt?
O Haus, o Wiesenhang, o Abendlicht,
auf einmal bringst du's beinah zum Gesicht
und stehst an uns, umarmend und umarmt.

Durch alle Wesen reicht der *eine* Raum:
Weltinnenraum. Die Vögel fliegen still
durch uns hindurch. O, der ich wachsen will,
ich seh hinaus, und *in* mir wächst der Baum.

Ich sorge mich, und in mir steht das Haus.
Ich hüte mich, und in mir ist die Hut.
Geliebter, der ich wurde: an mir ruht
der schönen Schöpfung Bild und weint sich aus.

Immer wieder, ob wir der Liebe Landschaft auch
                                        kennen
und den kleinen Kirchhof mit seinen klagenden Namen
und die furchtbar verschweigende Schlucht, in welcher
                                        die andern
enden: immer wieder gehn wir zu zweien hinaus
unter die alten Bäume, lagern uns immer wieder
zwischen die Blumen, gegenüber dem Himmel.

Reden will ich, nicht mehr wie ein banger
Schüler, der sich in die Prüfung stimmt.
Sagen will ich: Himmel, sagen: Anger
und der Geist, der mirs vom Munde nimmt,
wende es dem Ewigen zugut.

*München, zwischen 27. Oktober und 1. November 1915*

# AN DIE MUSIK

Musik: Atem der Statuen. Vielleicht:
Stille der Bilder. Du Sprache wo Sprachen
enden. Du Zeit,
die senkrecht steht auf der Richtung vergehender
Herzen.

Gefühle zu wem? O du der Gefühle
Wandlung in was? –: in hörbare Landschaft.
Du Fremde: Musik. Du uns entwachsener
Herzraum. Innigstes unser,
das, uns übersteigend, hinausdrängt, –
heiliger Abschied:
da uns das Innre umsteht
als geübteste Ferne, als andre
Seite der Luft:
rein,
riesig,
nicht mehr bewohnbar.

## BAUDELAIRE

Der Dichter einzig hat die Welt geeinigt,
die weit in jedem auseinanderfällt.
Das Schöne hat er unerhört bescheinigt,
doch da er selbst noch feiert, was ihn peinigt,
hat er unendlich den Ruin gereinigt:

und auch noch das Vernichtende wird Welt.

*Für Anita Forrer / zum 14. April 1921*

⟨FÜR LEONIE ZACHARIAS⟩

Oh sage, Dichter, was du tust?
                              – Ich rühme.

Aber das Tödliche und Ungetüme,
wie hältst du's aus, wie nimmst du's hin?
                              – Ich rühme.

Aber das Namenlose, Anonyme,
wie rufst du's, Dichter, dennoch an?
                              – Ich rühme.

Woher dein Recht, in jeglichem Kostüme,
in jeder Maske wahr zu sein?
                              – Ich rühme.

Und daß das Stille und das Ungestüme
wie Stern und Sturm dich kennen?
                              : – weil ich rühme.

O Sorge oft um euch, die ihr nicht lest ...
oh Wesende, im Grund der langen Tage, –
womit vergeht die Zeit, dieweil ihr west?
Ihr kennt sie nicht, zwar krankt ihr und genest,
fliegt auf in Lust und schleppt euch hin in Plage –,
doch euch geschiehts in seltsamem Zugleich.
Das arm und reich, das Klare und das Trübe
ist nur am Rand, an den uns unser Streben
hinausgedrängt hat aus der Mitte Leben;
nun warten wir, daß einer niedergrübe
zurück zu euch, damit wir beides wären,
zertrennt und einig. Könnten wir als Schläfer
wenigstens weilen in den innern Sphären
und wachend wissen, daß wir unten Käfer,
Wurm, Larve waren, vor uns selbst versteckt;
kein selig sich vermählendes Insekt,
nein, meinetwegen eins mit halbzerstörten
Florflügeln, welches schon Verzicht getan
auf einen Teil der in den Lebensplan
der dumpfen Einfalt eingeweihten Beine ...
Nur daß wir einmal in das *Eine*
hineingehörten!

... Wann wird, wann wird, wann wird es genügen
das Klagen und Sagen? Waren nicht Meister im Fügen
menschlicher Worte gekommen? Warum die neuen
                                        Versuche?

Sind nicht, sind nicht, sind nicht vom Buche
die Menschen geschlagen wie von fortwährender
                                        Glocke?
Wenn dir, zwischen zwei Büchern, schweigender
                        Himmel erscheint: frohlocke ...,
oder ein Ausschnitt einfacher Erde im Abend.

Mehr als die Stürme, mehr als die Meere haben
die Menschen geschrieen ... Welche Übergewichte von
                                        Stille
müssen im Weltraum wohnen, da uns die Grille
hörbar blieb, uns schreienden Menschen. Da uns die
                                        Sterne
schweigende scheinen, im angeschrieenen Äther!

Redeten uns die fernsten, die alten und ältesten Väter!
Und wir: Hörende endlich! Die ersten hörenden
                                        Menschen.

# SONETT

O das Neue, Freunde, ist nicht dies,
daß Maschinen uns die Hand verdrängen.
Laßt euch nicht beirrn von Übergängen,
bald wird schweigen, wer das ›Neue‹ pries.

Denn das Ganze ist unendlich neuer,
als ein Kabel und ein hohes Haus.
Seht, die Sterne sind ein altes Feuer,
und die neuern Feuer löschen aus.

Glaubt nicht, daß die längsten Transmissionen
schon des Künftigen Räder drehn.
Denn Äonen reden mit Äonen.

Mehr, als wir erfuhren, ist geschehn.
Und die Zukunft faßt das Allerfernste
rein in eins mit unserm innern Ernste.

*Aus dem Umkreis der Sonette an Orpheus*

Wir sind nur Mund. Wer singt das ferne Herz,
das heil inmitten aller Dinge weilt?
Sein großer Schlag ist in uns eingeteilt
in kleine Schläge. Und sein großer Schmerz
ist, wie sein großer Jubel, uns zu groß.
So reißen wir uns immer wieder los
und sind nur Mund. Aber auf einmal bricht
der große Herzschlag heimlich in uns ein,
so daß wir schrein –,
und sind dann Wesen, Wandlung und Gesicht.

FÜR *NIKE*

*Weihnachten 1923*

Alle die Stimmen der Bäche,
jeden Tropfen der Grotte,
bebend mit Armen voll Schwäche
geb ich sie wieder dem Gotte

und wir feiern den Kreis.

Jede Wendung der Winde
war mir Wink oder Schrecken;
jedes tiefe Entdecken
machte mich wieder zum Kinde –,

und ich fühlte: ich weiß.

Oh, ich weiß, ich begreife
Wesen und Wandel der Namen;
in dem Innern der Reife
ruht der ursprüngliche Samen,

nur unendlich vermehrt.

Daß es ein Göttliches binde,
hebt sich das Wort zur Beschwörung,
aber, statt daß es schwinde,
steht es im Glühn der Erhörung

singend und unversehrt.

## DIE FRUCHT

Das stieg zu ihr aus Erde, stieg und stieg,
und war verschwiegen in dem stillen Stamme
und wurde in der klaren Blüte Flamme,
bis es sich wiederum verschwieg.

Und fruchtete durch eines Sommers Länge
in dem bei Nacht und Tag bemühten Baum,
und kannte sich als kommendes Gedränge
wider den teilnahmsvollen Raum.

Und wenn es jetzt im rundenden Ovale
mit seiner vollgewordnen Ruhe prunkt,
stürzt es, verzichtend, innen in der Schale
zurück in seinen Mittelpunkt.

# DER MAGIER

Er ruft es an. Es schrickt zusamm und steht.
Was steht? Das Andre; alles, was nicht er ist,
wird Wesen. Und das ganze Wesen dreht
ein raschgemachtes Antlitz her, das mehr ist.

Oh Magier, halt aus, halt aus, halt aus!
Schaff Gleichgewicht. Steh ruhig auf der Waage,
damit sie einerseits dich und das Haus
und drüben jenes Angewachsne trage.

Entscheidung fällt. Die Bindung stellt sich her.
Er weiß, der Anruf überwog das Weigern.
Doch sein Gesicht, wie mit gedeckten Zeigern,
hat Mitternacht. Gebunden ist auch er.

Quellen, sie münden herauf,
beinah zu eilig.
Was treibt aus Gründen herauf,
heiter und heilig?

Läßt dort im Edelstein
Glanz sich bereiten,
um uns am Wiesenrain
schlicht zu begleiten.

Wir, was erwidern wir
solcher Gebärde?
Ach, wie zergliedern wir
Wasser und Erde!

## WILDER ROSENBUSCH

Wie steht er da vor den Verdunkelungen
des Regenabends, jung und rein;
in seinen Ranken schenkend ausgeschwungen
und doch versunken in sein Rose-sein;

die flachen Blüten, da und dort schon offen,
jegliche ungewollt und ungepflegt:
so, von sich selbst unendlich übertroffen
und unbeschreiblich aus sich selbst erregt,

ruft er dem Wandrer, der in abendlicher
Nachdenklichkeit den Weg vorüberkommt:
Oh sieh mich stehn, sieh her, was bin ich sicher
und unbeschützt und habe was mir frommt.

Mädchen ordnen dem lockigen
Gott seinen Rebenhang;
Ziegen stocken, die bockigen,
Weinbergmauern entlang.

Amsel formt ihren Lock-Ruf rund,
daß er rollt in den Raum;
Glück der Wiesen wird Hintergrund
für den glücklichen Baum.

Wasser verbinden, was abgetrennt
drängt ins verständigte Sein,
mischen in alles ein Element
flüssigen Himmels hinein.

Heitres Geschenk von den kältern
Bergen
versucht in den Juni den Sprung;
blinkend in Bach und Behältern
drängt sich Erneuerung.

Überall unter verstaubten
Büschen
lebendiger Wasser Gang;
und wie sie selig behaupten,
Gehn sei Gesang.

# NACHTHIMMEL UND STERNENFALL

Der Himmel, groß, voll herrlicher Verhaltung,
ein Vorrat Raum, ein Übermaß von Welt.
Und wir, zu ferne für die Angestaltung,
zu nahe für die Abkehr hingestellt.

Da fällt ein Stern! Und unser Wunsch an ihn,
bestürzten Aufblicks, dringend angeschlossen:
Was ist begonnen, und was ist verflossen?
Was ist verschuldet? Und was ist verziehn?

Gestirne der Nacht, die ich erwachter gewahre,
überspannen sie nur das heutige, meine Gesicht,
oder zugleich das ganze Gesicht meiner Jahre,
diese Brücken, die ruhen auf Pfeilern von Licht?


Wer will dort wandeln? Für wen bin ich Abgrund und
                                        Bachbett,
daß er mich so im weitesten Kreis übergeht –,
mich überspringt und mich nimmt wie den Läufer im
                                        Schachbrett
und auf seinem Siege besteht?

Jetzt wär es Zeit, daß Götter träten aus
bewohnten Dingen . . .
Und daß sie jede Wand in meinem Haus
umschlügen. Neue Seite. Nur der Wind,
den solches Blatt im Wenden würfe, reichte hin,
die Luft, wie eine Scholle, umzuschaufeln:
ein neues Atemfeld. Oh Götter, Götter!
Ihr Oftgekommnen, Schläfer in den Dingen,
die heiter aufstehn, die sich an den Brunnen,
die wir vermuten, Hals und Antlitz waschen
und die ihr Ausgeruhtsein leicht hinzutun
zu dem, was voll scheint, unserm vollen Leben.
Noch einmal sei es euer Morgen, Götter.
Wir wiederholen. Ihr allein seid Ursprung.
Die Welt steht auf mit euch, und Anfang glänzt
an allen Bruchstelln unseres Mißlingens . . .

Von nahendem Regen fast zärtlich verdunkelter Garten,
Garten unter der zögernden Hand.
Als besännen sich, ernster, in den Beeten die Arten,
wie es geschah, daß sie ein Gärtner erfand.

Denn sie denken ja ihn; gemischt in die heitere Freiheit
bleibt sein bemühtes Gemüt, bleibt vielleicht sein
                                        Verzicht.
Auch an ihnen zerrt, die uns so seltsam erzieht, diese
                                        Zweiheit;
noch in dem Leichtesten wecken wir Gegengewicht.

# Rainer Maria Rilkes Leben
## und Dichtung

Rainer Maria Rilke ist im Alter von 51 Jahren gestorben; er wurde in Prag am 4. Dezember 1875 geboren, und er starb im Sanatorium Val Mont über Montreux am 29. Dezember 1926 einen qualvollen, gefaßt hingenommenen Tod. Die beiden Dezembertage, 1875 und 1926, fassen ein Leben ein, das angefüllt war mit Ängsten und Bedrückungen äußerer und innerster Art, das nie frei gewesen ist von alltäglichen Sorgen, nie frei von Sorgen und rücksichtslosen Bemühungen um das sich selbst Verwirklichen im Werk, im Gedicht. Unter dies strenge Gesetz hat Rilke sein ganzes Leben gestellt, dem Gesetz bedingungslos gehorcht.

Über die Jugendzeit in Prag, über die Jahre auf den Militärakademien in St. Pölten und Mährisch-Weißkirchen – zwischen 1886 und 1892 –, die aus finanziellen Erwägungen besucht wurden, sind Schatten der Hoffnungslosigkeit, jugendlichen Verzagtseins und des Nichtverstandenwerdens von seiten der Familie und der Umwelt gebreitet, die in der Wesensart des empfindlichen und empfindsamen »René« Rilke – so nannte er sich damals – ihren Grund haben. Die Mutter spielte ein Leben lang eine quälende Rolle im Dasein des Sohnes; sie hatte gesellschaftliche Ambitionen, war bigott und liebevoll-töricht. Über sie sagt Rudolf Kassner: »Rilke war ein sehr wahrhaftiger Mensch. Seine Wahrhaftigkeit kam aber aus der Unwahrhaftigkeit der Mutter.« Der Vater spielte sowohl im Leben der Mutter Rilkes wie in dem des Sohnes keine wesentliche Rolle. Er hatte die Militärlaufbahn aufgegeben und lebte das ehrgeizlose Leben eines Beamten der Böhmischen Nordbahn.

Nach Irrwegen und Umwegen begegnete der einundzwanzigjährige Münchner Student 1896 einer der ganz wenigen geistig groß angelegten Frauen jener Zeit: Lou Andreas-Salomé, der Tochter eines russischen Generals und Gattin des Orientalisten Fr. C. Andreas. Sie hatte durch Jahre hin Friedrich Nietzsche nahegestanden, war 14 Jahre älter als Rilke, und sie ahnte die hier schlummernden Begabungen und Möglichkeiten. Lou starb 1937, zuvor war sie zu einer klugen Schülerin des Wiener Psychoanalytikers Sigmund Freud geworden. Mit ihr lernte Rilke auf ausgedehnten Reisen Rußland kennen, besuchte Leo Tolstoi und blieb ihr bis zu seinem Tode aufs innigste verbunden – sein letzter Brief voller Todesahnung an die große Freundin trägt das Datum des 15. Dezember 1926 und ist in der Klinik geschrieben.

Über Berlin ging der Weg des stets Unrastigen, Unbehausten nach Worpswede. »Und hat man niemanden und nichts und fährt in der Welt herum mit einem Koffer und einer Bücherkiste und eigentlich ohne Neugierde. Was für ein Leben ist das eigentlich – ohne ererbte Dinge, ohne Hunde. Hätte man doch wenigstens seine Erinnerungen. Aber wer hat die? Wäre die Kindheit da, sie ist wie vergraben. Vielleicht muß man alt sein, um an all das heranreichen zu können. Ich denke es mir gut, alt zu sein.« Diese Sätze stehen in den *Aufzeichnungen des Malte Laurids Brigge* (1910). Der sie schrieb, sollte nicht alt werden, das Buch seiner Erinnerungen ist nie geschrieben worden, und die Heimatlosigkeit fand erst auf dem engen Kirchhof von Raron mit dem weiten Blick in den Himmel und auf die Berge des Wallis ihr Ende.

1901 in Worpswede, dessen Künstlerkolonie damals beträchtlichen Ruf hatte, wagte Rilke den Versuch, durch die Ehe mit Clara Westhoff, der Bildhauerin, Stetigkeit in sein Dasein zu bringen; beider Freundin, die Malerin Paula Becker-Modersohn, hat den in jener Zeit bärtigen Dichter porträtiert. Das Wagnis der Ehe schlug fehl.

Auf Worpswede folgte Paris, folgte eine wesentliche bestimmende Epoche für Rilke: Zwischen 1905 und 1906 war der Dichter Sekretär bei Auguste Rodin und aus den Jahren bis

1914 datieren Beziehungen zu Romain Rolland und André Gide; viele Gespräche mit Rudolf Kassner waren bedeutungsvoll, und der Beginn der innigen Freundschaft mit der Fürstin Marie Thurn und Taxis-Hohenlohe – 1909 – fällt in diesen Zeitraum. Rilkes *Briefe über Cézanne* wurden 1907 in Paris niedergeschrieben. Und von Paris aus führten ihn weite Reisen nach Spanien, nach Venedig, wo die Tragödin Eleonora Duse in Begleitung Rilkes erscheint, nach Schloß Duino bei Triest, hoch über der Adria. Hier war er Gast der Fürstin, verbrachte lange dialogische Abende mit Rudolf Kassner, der zu seinem vielleicht einzig wahren und darum so streng kritisierenden Freund wurde; und hier, in Duino – 1915 zerstört und später wieder aufgebaut –, entstanden 1912 die drei ersten *Elegien*, nach Form und Gehalt bereits weit entfernt von Rilkes *Stunden-Buch* (1899–1903), dem *Buch der Bilder* (1902) und den *Neuen Gedichten* (1907). ›Populär‹ geworden war Rilke eigentlich bereits durch sein in exaltierter lyrischer Prosa hingeschriebenes Poem *Die Weise von Liebe und Tod des Cornets Christoph Rilke* (1906), das als erstes der Inselbändchen in hunderttausenden von Exemplaren ein Handorakel und Tornisterbeigabe der deutschen Jugend zwischen 1914 und 1940 geworden ist.
1914 brachte den Krieg. Eines seiner Opfer war Norbert von Hellingrath, dem Rilke in München nähergekommen war und der ihm vom Gegenstand seiner Studien, von Hölderlin, gesprochen hatte; und Hölderlins hymnischer Stil sieht sich in den *Elegien* gelegentlich höchst eigenwillig reflektiert. Paris wurde durch die Kriegshandlungen für Rilke zum Phantom, sein dort angesammelter geringer Besitz ging verloren, nur Gide gelang es, weniges zu bewahren. Nach seiner ersten vorschnellen patriotischen Aufwallung schweigt der Dichter, ein qualvolles jahrelanges Schweigen. Sein Stummsein währte bis 1922, wo im turmartigen Schlößchen Muzot, in Weinbergen zwischen Sierre und Montana wunderschön gelegen, die schmerzvoll erharrte Stunde eintrat. Durch die Generosität Werner Reinharts aus Winterthur war Rilke zum Herrn des festen Hauses geworden.

Hier begannen die dichterischen Quellen langsam wieder zu fließen. Bis dann mit der Vehemenz eines Katarakts im Februar 1922 die fünf letzten Elegien sich wie von selber schrieben. Die vierte Elegie war 1915 entstanden. Das ganze Werk, Rilkes große Dichtung, ist der Fürstin Taxis gewidmet. Und mit geheimnisvoller Plötzlichkeit überraschend sich anschließend, erfolgt in wenigen Februartagen, gleichzeitig also mit den Elegien, unter zwingendem Diktat die Niederschrift der *Sonette an Orpheus*. »Beide Dichtungen unterstützen einander beständig«, schrieb Rilke, den das Glück über die späte Gnade solchen Geschenks fast überwältigte. Die riesige Last des Schweigens, die durch Jahre auf dem Herzen des Dichters gelegen hatte, gab ihn endlich frei. Die gute Stille nach besänftigtem Sturm stellte sich ein. Reisen wurden geplant und ausgeführt, das Briefwerk wuchs weiter, es war seit je ein wesentlicher Bestandteil der Rilkeschen Produktion, und allein die klare kurvige Handschrift beweist das künstlerisch-persönliche Moment der Briefe. Ein einmaliger, eigenartiger Zauber geht von Rilkes Briefen aus, mögen sie so ichbezogen, so preziös, noch so sehr und allzu häufig »Klagebriefe« sein. Der sie schrieb, sich in ihnen ausgab, verschenkte, war ein ganzes Leben lang ein Ertragender, Erleidender, aber auch ein genauer, wissender ›Täter‹, wenn er, dichtend, sich und seine innerste Welt darstellte; dann traf zu, was er im *Malte* niedergeschrieben hat: »Er war ein Dichter und haßte das Ungefähre.« Kassner, der ihn wie kaum ein anderer liebevoll und zugleich schonungslos kritisch »mit dem Herzen«, dem weiten Kassnerschen Herzen, »eingesehen« hatte, sagte von ihm in seiner Rede an Rilkes 30. Todestag zu Sierre 1956: »Sie [die Idee des Dichters] ist Überwindung und zugleich Aneignung, Eros im Hinblick auf das Weltinnesein ... Dichten, das mehr sein möchte als dichten, das im Sein aufgehen möchte, damit aus beiden zusammen Größe entstünde, Form als Ausdruck und Mittel jener Größe, die dem Dichter eignen soll und die Rilke geeignet hat und eignet.« Ich weiß aus Kassners Mund, daß er Rilke, unabhängig von der

Freundschaft, die beide verband, über die beiden anderen Dichterpersönlichkeiten der Epoche gestellt hat, über Stefan George und über Hofmannsthal; daß Rilke ihm, dem Unbedingten und Anspruchsvollen, als der Dichter par excellence erschienen ist.

Einer anderen, langjährigen Freundschaft soll hier noch gedacht werden. Sie datiert aus dem Jahre 1905 oder 1906, und Rilkes Partner sind Anton und Katharina Kippenberg, geborene von Düring, der Inhaber des Insel-Verlags in Leipzig und seine Gattin. Zwanzig Jahre hat diese Freundschaft gewährt, durch nichts in ihrer guten Stetigkeit getrübt. Seit dem *Stunden-Buch* sind alle Bücher des Dichters in der »Insel« erschienen, und noch wenige Wochen vor Rilkes Tod sandte er an Anton Kippenberg, den »guten alten Freund«, die Übersetzung von Valérys »Tante Berthe«, die letzte literarische Arbeit des Dichters überhaupt. Eigentlich nie sei zwischen ihnen, schrieb Rilke, über »Summen« gesprochen worden, und mit einem ganz unalltäglichen Sinn für das Schickliche einem großen Dichter gegenüber haben die beiden Kippenbergs in den langen Jahren des Rilkeschen Verstummtseins das Verhalten Rainer Maria Rilkes respektiert. Und Katharina Kippenberg hat in zwei Veröffentlichungen ihren Dank aufs schönste abgestattet: 1942 in *Rainer Maria Rilke, ein Beitrag* und 1946 in einer überzeugend schlichten Deutung der *Elegien* und der *Sonette an Orpheus.* – Rilke seinerseits hat nie aufgehört, dem Verlag auch seine Erfahrungen und literarischen Entdeckungen mitzuteilen, etwa auf die Dichterin Marceline Desbordes-Valmore hinzuweisen, deren ausgewählte Dichtungen dann in der »Insel« erschienen.

Was ist nun über Rilkes Dichtung zu sagen, über sein Werk, das heute, noch nicht 40 Jahre nach seinem Tod, wie das eines Klassikers in einer durch Ernst Zinn vorzüglich besorgten vielbändigen Gesamtausgabe erscheint, die von dem durch Willy Fritzsche und Ruth Fritzsche-Rilke betreuten Rilke-Archiv herausgegeben wird. Zuerst – und das ist selten genug in Deutschland (nicht nur im Deutschland von heute) –, daß wir es mit Dichtung in einem ganz und gar unprovinziellen Sinn zu tun haben; mit großer weltgültiger Dichtung, die sich in England und Nordamerika, ja sogar in Frankreich durchgesetzt hat, und das letztere nicht, weil Rilke einen Band französischer Verse vorgelegt hat, deren Sprache bei allem Charme ihres Wohllauts dem Kenner doch nur als ein Rilke-Französisch erscheinen muß, »barock« und nicht klassisch wie Valérys Poesie, die Rilke zum Teil ins Deutsche übertragen hat. Unprovinziell also auch über die Zeit hinausweisend, in der das Werk entstand, einer Tradition behutsam-absichtslos verbunden – Hölderlin – und zugleich aus dem Eigensten schöpfend, mit den Elementen der Poesie so lange spielend, bis aus dem Spiel der enorme Ernst wurde, der äußerste Anspruch, der das große Kunstwerk bezeichnet. Ein Jahr nach den *Elegien* und den *Sonetten an Orpheus* hat Rilke, sich selber erläuternd, geschrieben: »Die Einheit von Leben und Tod vorauszusetzen, die Identität von Furchtbarkeit und Seligkeit zu erweisen, ist der wesentliche Sinn und Begriff meiner Bücher.«

Ungezählt sind die Schriften über Rilke und sein Werk, Traktätchenhaftes steht neben klugen philosophischen Exkursen und philologischen Klitterungen; man sucht dieses Werk abzuwerten, indem man Gottfried Benn gegen Rilke ausspielt, Hymnen wurden auf das Werk angestimmt, billige oder witzige Parodien im Rilketon verfaßt; Rilke als ein esoterischer Rummelplatz à la mode – das scheint heute abgeklungen. Also wäre es an der Zeit, in das Vorstadium einer neuen und gerechten Wertung, die eigentlich noch nicht erfolgt ist, einzutreten; vielleicht ein Dutzend aus der Unzahl der Veröffentlichungen über Rilke wäre in die neue Phase zu übernehmen, kaum mehr. Die neue Wertung wird davon ausgehen müssen, daß hier ein eigentümlicher, eigenwilliger lyrischer Ton ohne Beispiel angeschlagen und durchgehalten wurde, daß aber darüber hinaus unserem

Lebensgefühl dichterischer, verdichteter, gesteigerter Ausdruck verliehen wurde, daß »Furchtbarkeit und Seligkeit« uns dargeboten werden, wundersam in dichterische Form gebracht. Wobei die bescheidene Gebärde des wahren Dichters, diese »chose rare et grande«, niemals übersehen werden soll.

Hat es Sinn für den Leser unserer Auswahl, die eine Hinleitung zum Werk Rilkes sein möchte, diese ausgewählten Gedichte zu katalogisieren, sie mit den Scheidewassern der Analyse zu zersetzen, sie einzuordnen in einen literarhistorischen Zusammenhang und von den Gedichten dort zu sagen, »sie seien Teile eines lyrischen ›Expressionismus‹« – was zutreffen mag –, und von jenen andern, daß sie dem dichterischen ›Existentialismus‹ das Wort redeten, worüber sich streiten ließe? Ist damit etwas über den innersten Gefühlswert, das spirituelle Gewicht solcher Dichtung Entscheidendes ausgesprochen? Ist man dem Geheimnis auf die Spur gekommen, das jedes Kunstwerk einhüllt? Dergleichen nützt uns nichts. Wohl aber ist es nützlich, Rilkes Gedichte – wie überhaupt jedes Gedicht – sich laut vorzusprechen, dem Klang, der mehr ist als nur ein Klingen und Verklingen, nachzusinnen und auf die Stimme in uns zu hören, die Antwort gibt, zögernd erst, fragende Antwort, aus der sich langsam Gewißheit gestaltet, jene Gewißheit, ohne die wir alle eigentlich nicht sein können.

Müssen wir uns denn Rilkes Grabspruch oder jenes Unsägliche: »Immer wieder, ob wir der Liebe Landschaft auch kennen« dieser Sammlung, müssen wir es uns von der Rilke-Philologie »übersetzen« lassen? Gehen wir doch zu dem Dichter selber, der uns sagt:

Was unser Geist der Wirrnis abgewinnt,
kommt irgendwann Lebendigem zugute;
wenn es auch manchmal nur Gedanken sind,
sie lösen sich in jenem großen Blute,
das weiterrinnt ...

Und ist's Gefühl: wer weiß, wie weit es reicht
und was es in dem reinen Raum ergibt,
in dem ein kleines Mehr von schwer und leicht
Welten bewegt und einen Stern verschiebt.

(R. M. R., *Sämtliche Werke*, Bd. 2, S. 265)

1959                                        *Erich Pfeiffer-Belli*

# Inhalt

Die römischen und arabischen Zahlen in Klammern verweisen auf die Band- und Seitenzahlen der im Insel-Verlag erschienenen *Sämtlichen Werke*; die Entstehungsdaten folgen dieser Ausgabe.

Rainer Maria Rilke

*Sämtliche Werke*

Herausgegeben vom Rilke-Archiv. In Verbindung
mit Ruth Sieber-Rilke besorgt durch Ernst Zinn.
Werkausgabe in 12 Bänden. 5600 Seiten. Leinen-
kaschiert. DM 144,–

———

*Leben und Werk im Bild*

Von Ingeborg Schnack. Mit einer biographischen
Einführung von J.R. von Salis und einer Zeittafel.
insel taschenbuch 35. DM 8,–

Insel Verlag

# Lyrik-Ausgaben

## IN RECLAMS UNIVERSAL-BIBLIOTHEK

*Deutsche Literatur · Auswahl*

# Philipp Reclam jun. Stuttgart